Direction de la publication :
Isabelle Jeuge-Maynart et Ghislaine Stora
Direction éditoriale : **Catherine Delprat**
Édition : **Clémence Thomas**
Principe de maquette et couverture : **Anna Bardon**
Mise en page : **Les PAOistes**
Fabrication : **Marie-Laure Vaillé**
Illustrations de l'intérieur : **Clémence Daniel**

ISBN 978-2-03-589613-1

LES MINI LAROUSSE

Les 50 règles d'or pour ne pas s'énerver

Sophie Dominique Rougier

21 rue du Montparnasse 75283 Paris Cedex 06

Sommaire

VOS NERFS ET VOUS

>1. Regarder la vérité en face 8
>2. S'énerver ne sert à rien 10
>3. Une question de santé 12
>4. Réagir autrement 14
>5. En parler à son médecin 15
>6. Comprendre ses émotions 16
>7. Penser à respirer 18
>8. Se mettre au sport 20
>9. Faire preuve de bon sens 22
>10. Relaxation, visualisation, méditation 24

AU QUOTIDIEN

>11. Accepter les petits tracas 26
>12. Garder le contrôle 28
>13. Se concentrer sur son corps 30
>14. Savoir profiter du repos forcé 32
>15. Être indulgent avec les autres 34
>16. Pour recevoir en toute tranquillité 36
>17. De bonnes relations de voisinage 37
>18. Retrouver un sommeil serein 38

AU SEIN DE VOTRE COUPLE

>19. Être communicatif 40
>20. Être impliqué 41
>21. Être présent 42
>22. Être compréhensif 43
>23. Faire face à la frustration 44
>24. Lâcher du lest 45
>25. Respecter sa retenue 46

>26. Ne pas l'étouffer 47
>27. Ménager ses nerfs 48
>28. Oublier belle-maman 49

AVEC VOS ENFANTS
>29. Leur fournir un cadre 50
>30. Pendant la période d'opposition 52
>31. Être deux à faire front 54
>32. Les responsabiliser 56
>33. Entretenir le dialogue 58
>34. Bannir toute agressivité 60

AVEC LES PERSONNES ÂGÉES
>35. Rester conciliant 62
>36. Ne pas les infantiliser 64
>37. Savoir s'adapter 66
>38. Faciliter les choses 68
>39. Faire appel à un tiers 70

AU TRAVAIL
>40. Analyser les problèmes 72
>41. S'organiser 74
>42. Savoir lever le pied 76
>43. Savoir accepter la critique 78
>44. Relativiser 80
>45. Accepter les différences des autres 82

POUR RESTER ZEN EN GÉNÉRAL
>46. Les cinq piliers de la zénitude 84
>47. Une cure de magnésium 85
>48. Les plantes et les huiles essentielles 86
>49. Prendre soin de soi 88
>50. Trouver son équilibre 90

Regarder la vérité en face

Vous ne vous énervez jamais ? Franchement vous êtes le (la) seul(e) ! Puisque vous feuilletez ce petit guide, c'est que vous habitez en ce moment sur notre bonne vieille planète Terre... où les motifs de perdre ses nerfs sont aussi nombreux que les feuilles mortes en automne !

OÙ EN ÊTES-VOUS ?

Combien de fois vous êtes-vous énervé, emporté, excité, impatienté, irrité, senti à cran, au bord de l'implosion, de griller un câble, les nerfs en pelote, sur le point de hurler ou de fondre en larmes... la semaine passée ? Pas une fois : reposez ce guide ; une ou deux fois : vous êtes dans la moyenne et c'est juste le bon moment pour vous prendre en mains ; à peu près tous les jours : il est urgent pour vous de mémoriser les pages qui vont suivre et leurs conseils pratiques si vous ne voulez pas finir en boule de nerfs perpétuelle et vous épuiser corps et âme. **Parce que s'énerver, en plus d'être inutile, c'est mauvais pour votre organisme et votre santé.** Et c'est en outre néfaste pour votre environnement social, amical et familial.

IL N'Y A RIEN À FAIRE, JE SUIS COMME ÇA !

Vrai et faux. Comme il y a des grands et des petits, des blonds et des bruns, il y a des individus plus « nerveux » que d'autres, mais ce serait une grosse erreur de croire qu'on ne peut rien changer à sa propension à se mettre en boule pour tout et sans arrêt. **On peut apprendre à devenir plus zen et à éviter de partir au quart de tour pour un rien.** Ce qui rend tout de même le quotidien nettement plus agréable. D'ailleurs, vous allez le constater en suivant le guide.

S'énerver ne sert à rien

La première règle d'or à observer pour arrêter de s'énerver, c'est de comprendre que s'énerver non seulement ne résout rien, mais aggrave encore les choses. En toute logique, puisque lorsqu'on est « sur les nerfs » ce sont nos émotions qui prennent le dessus au détriment de notre capacité à raisonner. Et donc à trouver des solutions.

S'ÉNERVER, C'EST PERDRE LE CONTRÔLE

Depuis Cro-Magnon, l'être humain s'est évertué à contrôler de mieux en mieux son environnement, son comportement et son destin. Un million d'années plus tard, on ne va pas le trahir dans ses bonnes intentions, parce qu'on a opté pour la seule queue du supermarché qui n'avance pas ! Car s'énerver, **c'est laisser nos émotions nous submerger, au détriment de notre lucidité**. Et c'est bien ce qui se passe, lorsqu'on se met à bramer après cette cliente qui mobilise la caissière parce qu'elle n'est pas d'accord sur un prix et, du coup, bloque toute la file. Alors on s'énerve en se disant que cette fois, on est définitivement en retard pour récupérer notre fille à l'école, qu'elle va nous le reprocher, ainsi que l'institutrice, etc. La colère, la frustration et l'anxiété ont pris le pas sur notre capacité à évaluer la situation avec lucidité et objectivité.

S'ÉNERVER, C'EST NÉFASTE

Vous croyez qu'avoir hurlé sur la cliente devant vous parce qu'elle bloquait tout le monde a détendu l'atmosphère ? **Une personne qui s'agite, crie, prend les autres à partie va automatiquement générer un stress supplémentaire autour d'elle et la tension ambiante va monter d'un cran.** Résultats probables : montée d'adrénaline générale, personnes de la file mal à l'aise et caissière échauffée. En résumé, votre coup de nerfs va sans doute ralentir encore le mouvement.

Une question de santé

Si on parle volontiers de « crise de nerfs », c'est bien parce que prendre l'habitude de s'énerver peut conduire un jour ou l'autre à une situation extrême qui n'est jamais sans conséquence, ni pour soi, ni pour les autres, ni pour son organisme, car « s'échauffer la bile » a une réelle incidence sur notre physique.

CE QUI SE PASSE DANS NOTRE CORPS

Toutes les émotions déclenchent en nous des bouleversements physiques, et l'énervement ne fait pas exception. Alors que votre corps était encore en mode routine il y a quelques instants, voilà que vous le sollicitez brutalement en déversant votre colère sur la personne qui a déclenché vos foudres. **Pour vous suivre, votre organisme va devoir mobiliser ses ressources :** votre rythme cardiaque va s'accélérer, l'afflux sanguin a besoin d'augmenter, votre tension artérielle monte, votre respiration devient saccadée ; et si vous êtes dans la catégorie « soupe au lait », cela peut aller beaucoup plus loin : poils qui se hérissent, visage qui rougit, grosses décharges hormonales, tension musculaire... Imaginez si le processus se répète tous les jours, voire plusieurs fois par jour !

VRAIE CRISE DE NERFS, ATTENTION !

Le plus grave lorsqu'on s'énerve, c'est qu'**on perd vite le contrôle** et qu'il est donc difficile voire impossible de s'arrêter, de stopper net la montée d'adrénaline. Sous l'emprise d'une émotion forte, nous n'avons plus la main sur notre corps, et il faut être vigilant dans ce cas, car l'emballement peut devenir une spirale dangereuse. Quelqu'un en proie à une véritable crise de nerfs peut être dangereux pour les autres et pour lui-même en se laissant aller à des insultes, des violences physiques, des actes absurdes. Débordement souvent regretté dès que le sang-froid est retrouvé.

Réagir autrement

Bonne nouvelle : il est possible de changer ! Si, si. L'agacement trop rapide, le départ au quart de tour en cas de contrariété, la vapeur qui sort des oreilles à la énième répétition d'un même problème, tout cela peut se canaliser.

Tout d'abord, **en adoptant quelques grands principes du bouddhisme ou du taoïsme, vous parviendrez à vivre plus calmement,** plutôt que constamment en mode « pile électrique ». Il faudra bien sûr de la volonté et du travail, mais cela finira par porter ses fruits.

Ensuite, grâce aux divers conseils pratiques présents dans les pages suivantes, faciles à assimiler et qui sont à la portée de tout le monde, vous réussirez à changer votre attitude face aux événements qui vous mettent sur les nerfs, au lieu de vouloir changer les événements eux-mêmes. Tout simplement parce qu'il est beaucoup plus simple et facile d'opérer comme ça. Il est plus facile de changer d'attitude face à sa belle-mère que de changer de belle-mère ! Quoique...

En parler à son médecin

Si vous vous trouvez vraiment trop à fleur de peau, si vous pensez que vos coups de nerfs peuvent être dévastateurs pour vous et pour vos proches, si on vous reproche souvent vos explosions, au boulot, en famille ou entre amis, n'hésitez pas à « consulter ».

N'ayez pas peur de le faire, ayez en tête que vous faites là une démarche naturelle et constructive : lorsque votre machine à laver fuit, vous appelez le plombier ; dans ce cas, c'est pareil, vous avez peut-être besoin d'un spécialiste. **Se comprendre, analyser ses réactions, est souvent ce qu'il y a de plus difficile au monde et se faire aider doit être alors une priorité.** Aujourd'hui, il y a d'efficaces professionnels et des thérapies souvent très pragmatiques et courtes qui vous aideront.

Comprendre ses émotions

Vous le savez à présent, lorsque vous vous énervez, c'est que vos émotions ont pris le pas sur tout le reste, c'est-à-dire qu'elles sont à présent maîtres à bord et ont pris la direction du bateau. Voilà ce qu'il faut faire pour éviter que vos émotions dictent vos actions et vos décisions.

INTROSPECTION, HONNÊTETÉ, LUCIDITÉ

Au moment précis où vous sentez la moutarde vous monter au nez, inspirez un bon coup (par le nez, voir plus loin pour plus de détails) et **ayez le courage d'identifier ce qui se passe en vous :** « D'accord, là, je commence à perdre le fil, à m'angoisser, à me faire un film, etc., et je dois reconnaître que cette émotion est intense et prend le pas sur ma capacité à raisonner avec lucidité. » Attention, **n'essayez pas de rejeter cette vague émotive qui vous envahit** ; sages et thérapeutes vous le diront, c'est la dernière des choses à faire.

Laissez-la passer, cette houle, en toute conscience (ça finira par passer de toute façon), ne cherchez pas à vous contrôler et attendez que la pression retombe. Ce qui va fatalement arriver puisque vous allez cesser de l'alimenter.

NE BOUGEZ PLUS !

Ce n'est pas le moment de vous lancer dans une action quelconque, attendez. Ou faites attendre au besoin ; mieux vaut dire : « Excusez-moi, je reviens dans une minute » que de dire ou de faire des choses que vous allez regretter pendant des mois. Admettez votre « état » et **attendez que votre système nerveux soit revenu à un équilibre**. En résumé, ne prenez aucune décision sous le coup d'une émotion forte.

ET NE CULPABILISEZ PAS !

Les émotions, les réactions fortes sont naturelles et font partie de la nature humaine. Bien sûr, certaines sont plus positives que d'autres, mais il est impossible de n'éprouver que celles qui rendent joyeux et pas les autres. Admettez-le et ne vous jugez pas.

Penser à respirer

Tous les yogis vous le diront : la respiration, lorsqu'on l'a apprivoisée, amène une aide formidable dès lors qu'on se sent submergé par une émotion violente ou sur le point de fondre un fusible, ou même si on se sent au bord d'un malaise.

TECHNIQUE N° 1

Si vous ne pouvez pas vous allonger (dans une voiture, un lieu public, sur votre lieu de travail...), desserrez les mâchoires (vous allez constater qu'elles sont crispées), entrouvrez à peine les lèvres, détachez la langue collée du palais et venez la poser devant les dents desserrées, comme les lèvres. Lissez votre visage comme si vous vouliez effectuer un lifting. **Inspirez doucement, lentement mais à fond par le nez en suivant mentalement les mouvements de votre corps :** la poitrine qui monte et votre dos qui s'écarte (c'est-à-dire les côtes de votre cage thoracique) pour laisser entrer de l'air frais. **Adoptez le rythme inspiration-expiration qui vous convient, pourvu qu'il soit régulier.** Comptez mentalement peut vous aider : j'inspire 1, 2, 3, 4 et j'expire 1, 2, 3, 4. Cela peut sembler ridicule, mais c'est tout le contraire. D'une part, le fait de guider vos pensées sur votre corps et votre souffle va calmer votre esprit et, d'autre part, le surplus d'oxygénation va apaiser vos tensions physiques.

TECHNIQUE N° 2

Si vous avez la chance de pouvoir vous allonger quelques minutes, faites-le. Il faut que votre dos et votre nuque soient confortablement posés et si possible que vos jambes soient allongées (mais ça marche quand même si elles sont repliées). Fermez les yeux, et commencez de la même façon qu'en position debout (mâchoires, langue, visage). **Inspirez par le nez sur trois temps et expirez (par le nez) sur trois temps.** Faites quelques cycles, puis allongez progressivement l'inspiration et l'expiration : 4, puis 5, puis 6 et plus encore si vous pouvez, mais vous ne devez ressentir aucune gêne. Voilà, vous êtes calme.

Se mettre au sport

Il y a deux écoles, chacune d'elles correspondant en général à un sexe différent ! Pour faire court, les hommes ont plus souvent envie de se défouler pour se calmer, les femmes préférant un sport apaisant qui leur évite de craquer.

UN SPORT POUR SE DÉFOULER

Votre rêve après une altercation c'est de taper fort sur un punching-ball ? Il peut devenir réalité ! **Si vous éprouvez le besoin de vous défouler dans un sport,** optez pour des sports de combat qui vont vider vos tensions émotionnelles, nerveuses et physiques. Boxe, savate, karaté, kung-fu, kendo, krav maga, il y a aujourd'hui l'embarras du choix. **Si la perspective de prendre des coups ou d'en donner vous effraie,** lancez-vous dans les danses qui déménagent : zumba, salsa, hip-hop, rock...

UN SPORT POUR DÉCROCHER

Pour vous qui n'avez pas envie de tout exploser, mais simplement de vous calmer tranquillement après votre journée de boulot, il y a les activités

À RETENIR

Tout le monde vous l'a répété et vous l'avez lu partout, mais tant pis, écrivons-le encore une fois : pour qu'elle serve à quelque chose, la pratique d'une activité physique doit être régulière, sur le long terme, et doit s'accorder avec une diététique de vie sensée !

d'endurance : marche, course, vélo ou natation, par exemple. **Votre esprit va se focaliser sur autre chose** pendant que votre corps va éliminer ses tensions grâce au travail musculaire, à l'oxygénation, etc.

UN SPORT POUR SE RETROUVER

Si, pour vous calmer, vous avez besoin de silence, de retour sur soi, ciblez plutôt des disciplines lentes et « recentrantes » : **le yoga** bien sûr, mais aussi **la méthode Pilates, le tai-chi, le qi gong**… Moins ou peu de dépenses physiques dans ces pratiques, mais de l'intériorisation, un retour à la concentration, à la tranquillité de l'esprit…

Faire preuve de bon sens

Vous savez que vous êtes quelqu'un qui s'énerve facilement et rapidement, mais vous buvez cinq cafés par jour, vous dormez quand vous en avez le temps, et vous avez des journées de folie. Et si vous commenciez par revenir aux fondamentaux ?

VOTRE CORPS D'ABORD

Pour rester calme quoi qu'il arrive, il faut commencer par avoir un physique sur lequel on peut compter. Autrement dit, **un mauvais sommeil ou un manque de sommeil, des repas sautés ou une alimentation du type malbouffe, et des rythmes de vie infernaux vous laisseront perpétuellement sur les dents.** Nul besoin d'habiter dans un ermitage au fond des bois et de se nourrir de navets bio en s'astreignant à cinq heures de méditation quotidienne pour avoir des nerfs d'acier. Mais avant toute chose, mieux vaut procéder à un petit autobilan écrit pour être sûr de savoir où on en est...

LES GRANDS ENNEMIS DU SELF-CONTROL AU QUOTIDIEN

- **Les excitants :** café, thé, alcool, boissons énergisantes, vitamines et autres « boosters » de forme ;
- **Le manque de sommeil :** décalages horaires, sommeil de mauvaise qualité, absence de pauses dans la journée ou de temps de repos lorsque le corps le réclame ;
- **Une mauvaise alimentation :** c'est-à-dire qui manque de légumes, de crudités, de sucres lents (pâtes riz) et qui comporte trop de sucres rapides et de graisse ;
- **Le manque de temps morts** au cours d'une journée « métro, boulot, marmots, conso » sans faire une coupure pour soi de temps à autre est le meilleur moyen pour sortir de ses gonds le soir une fois rentré à la maison. Justement, vous n'avez pas le temps ? Faux ! On a tous deux ou trois fois cinq minutes par jour pour une pause pendant laquelle on peut tout arrêter. **Respiration, marche, rêverie, ne rien faire, stretching, musique :** tout est bon pour montrer au corps et au mental que l'on ne veut pas « tenir sur les nerfs ». Vous n'y croyez pas ? Et pourtant, quand on a pris l'habitude de ces pauses, retrouver son calme en cinq minutes est simple comme bonjour !

Relaxation, visualisation, méditation

Pour habituer son corps et son mental à ne plus monter aux rideaux à la première remarque désobligeante, apprendre des techniques de relaxation (quel que soit le nom qu'on lui donne) est une bonne idée : pratiquées à long terme, ces techniques peuvent apporter de vrais changements de fond qui dureront.

À CHACUN SA RELAXATION

Plusieurs techniques sont célèbres parce qu'elles ont fait leurs preuves. **Le training autogène de Schultz consiste à se répéter mentalement des messages de décontraction en position allongée :** « Ma jambe droite est lourde, détendue, elle se détend totalement dans le sol qui absorbe toutes mes tensions, etc. ». Et on passe ainsi en revue toutes les parties du corps. Au bout de cinq ou dix minutes, on est vraiment plus calme. **Autre technique plus « physique » : celle de Jacobson qui peut se pratiquer assis.** L'idée du scan du corps est reprise, c'est-à-dire qu'on passe mentalement en revue tout le corps, mais cette fois en contractant fortement les muscles à chaque fois : « Je serre, je serre fortement le poing gauche et je relâche ».

LA VISUALISATION

C'est une technique qui peut facilement « embarquer » celui qui la pratique, mais il faut être capable d'une certaine imagination. L'idée ? **Vous allez vous promener mentalement dans un endroit où vous aimeriez être** en visualisant les couleurs, les odeurs, les personnes qui vous accompagnent (ou pas), les sons, la température, etc. Votre voyage idéal achevé, vous êtes très zen.

LA MÉDITATION

Méditer régulièrement **peut nous apporter de réels bienfaits.** Si la méditation est une technique qui n'est pas donnée à tout le monde, c'est sûrement celle qui permet d'aller le plus loin. Ce n'est pas un hasard si toutes les grandes philosophies et religions l'ont mise à leurs programmes.

Accepter les petits tracas

Le robinet qui goutte, la queue au supermarché, le bus en retard ou plein à craquer, la pile de linge à repasser, les butors au volant, la télé du voisin qui hurle tous les jours à la même heure… Au secours ! Comment garder ses nerfs face aux innombrables contrariétés du quotidien ? Trois maîtres mots : analyser, relativiser, s'adapter.

RÉPARER, RANGER, ORGANISER…

Soyez honnête, il y a des crises de nerfs que vous pourriez éviter dans votre quotidien si vous décidiez d'agir. La fenêtre qui coince peut se réparer, la queue au supermarché peut être évitée en changeant de jour, d'heure, en se faisant livrer ou en déléguant. La décharge d'adrénaline face à la pile de pulls qui choit lorsque vous ouvrez votre placard pourrait être évitée en aménageant. **Devenez pragmatique et notez au fur et à mesure ce qui vous met dans tous vos états**, et cherchez s'il n'y a pas une meilleure organisation à trouver. Vous verrez qu'il y en a...

RELATIVISEZ

Avant d'exploser de rage lorsque vous lisez que votre train de retour a (encore) 15 minutes de retard, relativisez. Que sont 15 minutes dans cette journée, cette semaine ? Vous en souviendrez-vous encore dans deux mois, dans deux ans ? **Cela vaut-il le coup de perdre son calme pour ce qui vous arrive ?** Votre réaction n'était-elle pas exagérée ?

FAIRE CONTRE MAUVAISE FORTUNE BON CŒUR

On ne peut pas toujours éviter d'être en fâcheuse posture et vous avez sûrement, comme tout le monde, votre lot de motifs d'irritations incompressibles. Si vous n'avez aucun moyen d'éviter l'embouteillage dans lequel vous êtes englué, inutile d'insulter la terre entière, **adaptez-vous plutôt à la situation**. Profitez-en pour travailler votre souffle ou écouter enfin ce CD acheté il y a des mois...

Garder le contrôle

Ça y est, vous êtes coincé ! Cette fois, c'est votre train qui est stoppé en rase campagne, ou bien vous venez de découvrir, avec quelle joie, que la salle d'attente du médecin est pleine à craquer... Pas de panique ! Si vous ne pouvez éviter le désagrément, vous pouvez éviter de vous énerver après lui.

CONTRÔLEZ-VOUS

Depuis que nous vivons à l'ère technologique, on a l'impression qu'on peut tout contrôler... Erreur ! Ce qui vous met dans tous vos états aujourd'hui, c'est justement la frustration de ne pas pouvoir agir sur cet impondérable de la SNCF ou auprès de tous ces gens qui attendent « votre » médecin. **Acceptez-le, il y a des événements qui échappent à notre contrôle.** En revanche, vous devez pouvoir vous raisonner pour ne pas foncer tête baissée vers l'attitude négative qui ne va pas vous aider.

PENSEZ À AUTRE CHOSE

Ne vous focalisez pas sur ce qui vous contrarie. Respirer de façon active et contrôlée vous aide ?

Essayez ce nouvel exercice : inspirez par le nez pendant 2 ou 3 secondes (si vous pouvez fermer les yeux, c'est encore mieux), restez poumons pleins 4 à 6 secondes ; soufflez par le nez naturellement, restez poumons vides 4 à 6 secondes. Répétez tant que l'exercice vous fait du bien. Si vous vous sentez vraiment à l'aise, augmentez les temps de rétention, mais vous ne devez jamais ressentir de gêne.

GRIGNOTEZ INTELLIGENT

De rage, vous vous jetez sur un café, une cigarette, ou un paquet de gâteaux... Mauvais réflexe ! **Les aliments sucrés (ou trop salés) stimulent le système nerveux (y compris les sodas), vous ne faites donc qu'en rajouter !** Au contraire, buvez de l'eau, achetez une banane ou une pomme si vous pouvez, ces gestes alimentaires contribueront à relâcher la pression.

Se concentrer sur son corps

Cette fois, c'est encore pire : non seulement vous êtes piégé, mais vous êtes en plus immobilisé dans votre voiture, un tram ou une file d'attente dont vous voyez à peine le début. Ce n'est pas parce qu'on ne peut pas se mouvoir qu'on ne peut pas garder son calme. La preuve.

MASSEZ-VOUS

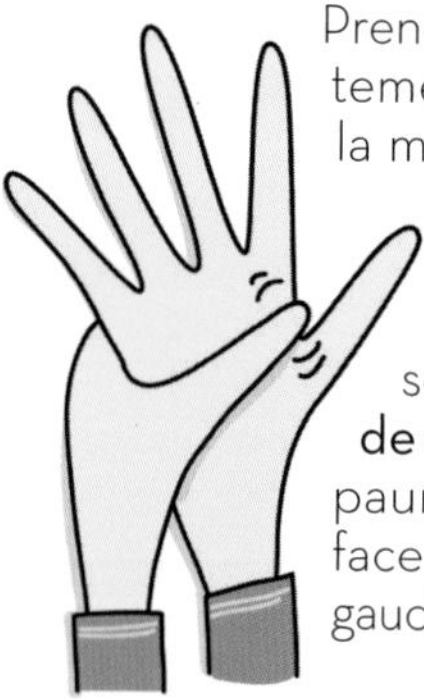

Prenez-vous par la main ! Ou plus exactement : avec le pouce et l'index de la main droite, venez attraper la partie charnue qui fait une sorte de triangle, entre le pouce et l'index de la main gauche ; palpez, massez, triturez. Puis **exercez une sorte de digipuncture** sur l'ensemble de la paume avec le pouce (la paume est face au ciel). Inversez les rôles, la main gauche soignant cette fois la main droite.

APAISEZ-VOUS

Frottez vos paumes de mains l'une contre l'autre (sauf s'il fait très chaud), **appliquez vos mains à plat sur votre visage quelques secondes, paupières closes**; écartez un peu les doigts des mains et passez lentement vos mains dans vos cheveux en veillant à ce que la pulpe des doigts masse le cuir chevelu, descendez sur l'arrière de la tête jusqu'à la nuque. Recommencez deux ou trois fois dans le même sens (visage, tête, arrière de la tête). L'effet est magique, surtout si vous pouvez garder les yeux fermés (attention au volant quand même!) et si vous respirez lentement et doucement.

RESPIREZ

En inspirant (par le nez), montez vos épaules jusqu'aux oreilles et **relâchez vivement en soufflant toujours par le nez**. Si vous êtes dans une situation où ça n'est pas compromettant (votre voiture par exemple), faites l'exercice en inspirant et en soufflant bruyamment. Répétez 5 ou 6 fois.

Savoir profiter du repos forcé

Bien difficile d'échapper un jour ou l'autre au rhume, à une gastro, voire à un repos forcé de quelques jours à la suite d'une chute ou d'un accident banal. Mais, alors que la période devrait être propice au repos et à prendre soin de soi, vous, vous devenez une pile électrique !

SORTEZ DE VOTRE FRUSTRATION

Dans un monde hyperactif, être (momentanément) inactif peut résonner à vos oreilles comme une sanction : vous voilà affaibli, inutile, et incapable de faire ce que vous aviez prévu. Et le comble, vous avez besoin d'aide et ne pouvez plus vous suffire à 100 % ! Si ce type de frustrations vous met dans tous vos états, reprenez-vous, car vous énerver (après qui ou quoi au fait ?) ne vous fera pas guérir plus vite ! **Faites le point calmement :** ce que vous avez n'est pas grave, vous êtes sous traitement et votre « épreuve » va durer trois jours, croyez-vous vraiment que votre vie va véritablement s'en trouver bouleversée ?

LÂCHEZ PRISE… POUR UNE FOIS

Si vous êtes immobilisé pour un laps de temps déterminé, profitez-en pour tout lâcher ! **Déléguez ce qui peut l'être, demandez à votre entourage et à ceux qui comptent pour vous de prendre soin de vous et de vous aider,** ne faites rien, dormez, rêvez, ou, si vous en avez la possibilité, amusez-vous, faites ce que vous n'avez jamais le temps de faire et qui vous ferait tellement plaisir. Et si vous avez décidément du mal à garder votre sérénité pendant que votre gastro se soigne, n'hésitez pas à user et abuser de tout ce qui peut calmer : plantes, tisanes, huiles essentielles, mais aussi massages relaxants à domicile, jacuzzi, hammam, spa, cours de yoga, de relaxation, hypnose…

Être indulgent avec les autres

Au pressing, votre veste beige est devenue bleue ; ça fait trois fois que vous rappelez cette administration pour leur dire que vous avez déménagé depuis six mois ; les chaînes promises par votre opérateur ne sont jamais au rendez-vous. Et pire que tout, le garage vient de vous appeler pour vous dire que votre voiture sera prête beaucoup plus tard que prévu…

AVANT D'EXPLOSER

Ne réagissez pas dans l'instant, sur un coup de nerf. **Prenez le temps nécessaire pour vous sentir maître de vos émotions.** Adoptez le point de vue de l'autre ; même si ça ne vous paraît pas « juste », c'est stratégique : vous êtes très énervé, à juste titre, mais ce n'est peut-être pas directement la faute de la personne que vous avez en face de vous ou au téléphone. Si votre interlocuteur sait parfaitement qu'il est dans son tort (ou la société qu'il représente) et que vous venez à lui calmement, sans l'agresser, vous marquez un point important et il sera bien mieux disposé à vous aider.

PROPOSER PLUTÔT QU'ATTAQUER

C'est sûr, vous êtes très, très contrarié de ne pas récupérer votre voiture comme prévu à 18 heures. Plutôt que d'échanger des noms d'oiseaux, n'élevez pas la voix, rappelez que le garagiste s'était engagé, qu'il vous met dans un sérieux embarras et **cherchez avec lui une solution à l'amiable** : peut-il vous prêter un véhicule ? Vous rembourser une location de quelques heures ?

N'ALLEZ JAMAIS TROP LOIN

Énervé, vous pouvez dire n'importe quoi. Attention, beaucoup de conversations téléphoniques sont enregistrées de nos jours, et lors d'un face-à-face, il peut y avoir des témoins contre vous. **N'oubliez pas que des insultes, des propos outrageants, peuvent faire l'objet de plaintes recevables.** Si vous sentez que la moutarde vous monte au nez, décrochez, quitte à revenir à la charge une fois votre calme revenu.

Pour recevoir en toute tranquillité

Recevoir et cuisiner pour ses hôtes est un facteur de stress bien connu, car il faut tout faire à la fois dans un temps donné et être en plus capable de faire plaisir et d'accueillir tout le monde avec le sourire...

Ce qui va faire monter la tension dans la cuisine, en votre for intérieur, et éventuellement entre vos proches et vous, c'est la foultitude de choses à faire en peu de temps. Alors, **organisez-vous et sachez confier certaines tâches aux autres :** faites les courses de bouche la veille, demandez à vos enfants de faire un brin de ménage, et à votre cher et tendre de s'occuper du pain ou autre. Très important : gardez-vous du temps pour vous. Lorsqu'on est sur les dents, cinq minutes à soi (mais complètement à soi), pour une petite relaxation, ou ce qui vous fait plaisir, c'est le nirvana !

De bonnes relations de voisinage

Que ce soit en appartement ou dans une maison, on n'est pas toujours conscient du bruit qui porte chez les autres.

En première intention, avertissez votre voisin que vous subissez des nuisances. **Le mieux reste le contact direct.** Conseils : ne montez pas le ton de votre voix, il est difficile de hurler face à quelqu'un qui parle bas. **Tenez-vous en à votre demande, qui doit être précise et argumentée :** merci de ne pas utiliser votre perceuse le samedi avant 11 heures. Si on vous fait comprendre que votre demande a peu d'importance, insistez simplement sur le fait qu'il y a un code de bon voisinage et que vous ferez en sorte qu'il soit respecté. Il y a quelques chances que votre calme inébranlable fasse son petit effet. Sinon, pensez à une médiation ou faites une mise en demeure par écrit. Si les résultats se font attendre, contactez alors le commissariat ou la gendarmerie.

Retrouver un sommeil serein

Ne pas arriver à s'endormir, être réveillé par les ronflements de son conjoint, ou se réveiller bien trop en avance : voilà de bonnes occasions « d'avoir les nerfs ». Passage en revue des petits trucs qui calment en pareilles circonstances.

SI VOUS N'ARRIVEZ PAS À VOUS ENDORMIR

Relevez-vous. Il est normal de mettre quelques minutes à trouver le sommeil, mais si cela fait 50 fois que vous vous retournez sur votre matelas, c'est sûr, vous êtes en train de vous énerver, et énervé, vous ne parviendrez pas à vous endormir. **Levez-vous, allez boire un verre d'eau, marchez un peu chez vous, lisez quelques lignes, arrosez vos fleurs,** tout ce qui signifie au cerveau que vous n'êtes plus en train de ressasser, mais que vous avez sommeil et que c'est l'heure de dormir. Au bout

de quelques minutes, allez vous recoucher. Si ça ne marche pas, renouvelez l'opération. Il est rare qu'on ne tombe pas dans les bras de Morphée au bout de deux manèges de ce type.

SI VOUS VOUS RÉVEILLEZ TROP TÔT

Ne partez pas dans vos pensées. C'est ce qu'on fait tous, spontanément, en cas de réveil trop matinal, et c'est de cette façon qu'on n'a aucune chance de se rendormir ! Si la méthode décrite au paragraphe précédent fonctionne bien pour vous, allez-y, sinon essayez l'exercice respiratoire détaillé pages 18 et 19, ou celui de visualisation décrit page 25.

CONTRE LES « NUISANCES SONORES »

Agissez fermement ! Des troubles du sommeil induits par les ronflements du conjoint peuvent finir par être vraiment invalidants pour celui qui les subit. **Parlez-en ensemble et si les trucs et astuces ne marchent pas** (on en trouve beaucoup sur Internet), consultez un médecin, il y a maintenant des solutions qui marchent. Si Jules prend mal votre demande et la démarche, expliquez-lui que le ronfleur aussi peut être impacté par ses vrombissements nocturnes, ce qui est vrai !

Être communicatif

La gent féminine aime s'exprimer, dialoguer, échanger. Lorsque Julie vit avec Jules, il lui faut parler avec lui du boulot, des enfants, des copines, de projets à deux, etc. Ce qui met Julie dans tous ses états, c'est quand Jules a l'air de penser à autre chose pendant qu'elle parle, d'écouter d'une oreille distraite, ou de faire semblant de compatir, alors qu'en fait il regarde la télé du coin de l'œil.

Attention, la crise n'est pas loin ! **Pour éviter la scène de ménage,** ne donnez pas l'impression, Jules, de dire « cause toujours tu m'intéresses ! ». Soyez attentif à l'envie de Julie d'échanger avec vous, et assurez-la que vous êtes présent, et que vous avez bien compris qu'elle espérait une oreille attentive et active. Si ce n'est pas le bon jour pour vous, si vous aussi vous avez vos soucis, dites-le franchement, remettez à demain (mais pas éternellement), en assurant que vous n'oublierez pas cette discussion que vous devez avoir.

Être impliqué

Toutes les études le montrent, les hommes sont bien moins investis dans la vie « domestique » que les femmes. Hélas, n'en doutez pas, Julie va vraiment monter sur ses grands chevaux si vous lui laissez tout faire à la maison.

Même si vous ne vivez pas ensemble tous les jours, même si vous vous êtes réparti équitablement les tâches de la maisonnée, ne jouez pas systématiquement à l'homme débordé quand votre chérie vous demande un coup de main pour la soulager. Elle aussi est sans doute débordée. Et si l'exaspération de Julie ne se voit pas à l'œil nu immédiatement, à la longue, la pression va monter pour finir un jour en éruption volcanique ! Si vous pensez vraiment ne pas pouvoir en faire davantage, parlez-en ensemble, cherchez une autre organisation, d'autres solutions, mais ne bottez pas en touche sans cesse.

Être présent

N'abusez pas des soirées du type potes-bières-foot si Julie lève les yeux au ciel et soupire à chaque fois que vous lui annoncez la venue de vos copains préférés.

Bien sûr, vous avez le droit à vos soirées à vous ou à rigoler avec ces copains un peu « borderline », mais si vous voyez que Julie « crise » à chaque fois, entamez une discussion franche pour comprendre ce qui la met dans tous ses états. Elle n'aime pas vos amis ? Proposez-lui ce soir-là une sortie bien à elle, à son goût. Elle n'aime pas vous voir avec d'autres personnes qu'elle ? **Rassurez-la en expliquant pourquoi vous avez besoin de ces moments entre hommes.** Elle en a ras-le-bol de retrouver l'appartement en vrac à la fin du match ? Assurez-la de votre coup de main pour le lendemain !

Être compréhensif

La rumeur veut que les femmes soient volontiers plus « nerveuses », donc plus souvent énervées que les hommes.

En plus des grands sujets de conflit entre hommes et femmes développés précédemment, il y a les prises de becs du quotidien qu'affrontent tous les couples. Lorsque vous comprenez que Julie est sur les nerfs, désamorcez. **Comme on l'a vu plusieurs fois, si vous vous sentez attaqué et que vous répondez du tac au tac, ce sont vos émotions qui vont prendre le dessus et vous allez avoir du mal à aborder la situation avec lucidité.** Alors, le ton va monter entre vous tant l'énervement est contagieux. N'entrez pas dans la danse, ne répondez rien et dites que vous devez réfléchir. Donnez-vous du temps, respirez à fond plusieurs fois, attelez-vous à une autre tâche quelques minutes, etc.

Faire face à la frustration

Tous les psys le disent, les états de grande tension nerveuse sont très souvent motivés par des frustrations. Dans une vie de couple, impossible de ne pas en avoir... de part et d'autre.

N'oubliez pas quelques principes de bon sens :

- À trop attendre de son partenaire, on court le risque d'être éternellement insatisfait.
- Personne n'est parfait, chacun a ses défauts et ses difficultés.
- Il faut savoir accepter l'autre tel qu'il est, sans vouloir le changer radicalement.

Il peut également être frustrant de sentir que l'autre est énervé en permanence contre soi. Dites-lui que ça vous ferait vraiment plaisir qu'il ou elle remarque que vous faites aussi des efforts de votre côté. Que vous l'écoutez et tenez compte de ses remarques, et listez les compromis que vous avez bien voulu faire jusqu'à présent.

Lâcher du lest

N'en doutez pas, si voir votre chéri vautré devant un match de foot vous tape sur les nerfs, lui n'en peut plus de vous entendre passer l'aspirateur le samedi matin pendant qu'il joue sur sa console !

De très sérieuses études (notamment pour des sites de rencontre) révèlent que les obsédées de la propreté tapent sérieusement sur le système des hommes ! Remèdes : ne pas hurler au loup dès que votre chéri a laissé tomber deux miettes sur le tapis ; ne pas passer tous vos moments de loisirs à briquer votre petit chez vous, surtout quand monsieur est là aussi ; ne pas passer systématiquement derrière lui pour (soi-disant) réparer ses dégâts dans la cuisine, la salle de bains ou la chambre. **Relativisez (ça n'est pas si grave), respirez un bon coup, et planifiez l'intendance,** au besoin avec Jules, pour ne pas donner l'impression que le ménage passe avant lui...

Respecter sa retenue

Parmi les comportements qui le crispent, Jules reproche à Julie de trop parler et de ne pas savoir s'arrêter quand elle est lancée ! Entre ce défaut et les besoins de réponses rassurantes de madame, parfois, il craque...

C'est vrai, les femmes adorent toutes que l'homme de leur vie les trouve belles et leur déclare sa flamme à tout bout de champ, mais eux ne sont pas forcément à l'aise avec l'expression de leurs émotions. **Les hommes sont plus dans le concret que les femmes, et les grandes discussions les énervent.** Surtout si Julie n'arrête pas de parler sans laisser la possibilité à Jules de répondre. Quel remède ? Jules se demande déjà depuis quelques minutes où Julie veut en venir et comme il ne comprend pas, il commence à s'agiter. Dans ce cas, Julie doit laisser tomber le bavardage, et commencer par le plus simple : le but de cette discussion avec lui !

Ne pas l'étouffer

Autre défaut qui serait typiquement féminin : l'art de la possession. Autrement dit, Julie aurait tendance à étouffer un peu Jules et à se montrer jalouse pour un rien.

Julie l'adore, elle l'inonde de textos, elle le questionne sans cesse, et elle ne peut pas imaginer passer un week-end sans lui. Mais lui, qu'en pense-t-il ? Elle va être déçue : il la trouve agaçante d'être toujours collée à ses basques ! De l'air, son chéri a besoin d'air ! **Tout le monde a besoin d'avoir ses activités propres, ses amis à soi, son jardin secret :** Jules aussi. Il n'y a rien qui le crispe davantage que lorsque Julie l'assaille de questions : « Où t'étais, je t'ai appelé t'as pas répondu ; c'était qui au téléphone, c'est qui Gus ? Qu'est-ce que vous allez faire au bowling ce soir ? ». Pour avoir un chéri détendu et content de la retrouver, il faut lui montrer qu'elle a confiance en lui.

Ménager ses nerfs

Les femmes aiment bien se faire désirer, et donc faire attendre les hommes. Mais d'après ce qu'ils expliquent, il y a de quoi perdre son calme quand l'élue de son cœur est systématiquement en retard à tous les rendez-vous !

Encore une idée reçue ? Pas tant que ça, hélas, car dans l'ensemble, les femmes font davantage attendre les hommes que l'inverse, c'est prouvé ! Par exemple, elles mettent plus de temps à se préparer pour sortir. **Si Jules fait la grimace à chaque fois que vous arrivez à lui essoufflée (et en retard),** expliquez-lui qu'entre les enfants, le boulot, la maison, et votre mère qui vous a appelée au téléphone juste quand vous partiez, vous aviez des circonstances atténuantes... Mais ne faites pas de vos retards une règle systématique, au risque de vous entendre répondre par Jules qu'il en a assez de passer sa vie à vous attendre.

Oublier belle-maman

La relation d'une maman et son fils est parfois quelque peu « sacrée » et mieux vaut ne pas y toucher au risque de voir Jules perdre son flegme.

Ce qui énerve particulièrement les hommes, c'est qu'on critique leur maman, quel que soit le motif : elle est trop envahissante, elle monopolise l'attention quand elle est là, elle veut toujours avoir raison... Quoi qu'on en dise, nous avons enlevé à belle-maman son fils chéri et nous sommes un peu devenues rivales. **Pour éviter de poser un ultimatum à Jules pour qu'il choisisse entre sa mère et vous, prenez sur vous quand elle est là et promettez-vous de remettre la discussion à plus tard.** Lorsque vous en parlez en tête à tête plus tard, ne dites pas : « Ta mère ceci, ta mère cela », mais demandez l'avis de Jules : « Tu ne trouves pas que ta mère vient beaucoup nous voir ces temps-ci, qu'en penses-tu ? »

Leur fournir un cadre

Être parent ou devoir assumer la garde de temps à autre d'une petite nièce ou du fils du voisin de palier, on adore, mais il faut le reconnaître, parfois les enfants nous tapent sur les nerfs de manière violente ! Courage, il y a des solutions.

ARRÊTEZ DE HURLER (FACILE À DIRE...)

Sachez que lorsqu'on crie, un enfant jeune ne retient pas forcément les paroles, en revanche, il retient la musique et le tempo : bruyante pour la première, effréné pour le second. Ainsi, en caricaturant un peu, un adulte qui s'énerve et qui lui crie après, c'est, pour Junior, un adulte qui ne maîtrise pas la situation, qui est débordé par les événements et ça l'inquiète. D'autre part, si Junior prend l'habitude de vous entendre crier, **il va finir par ne plus y prêter attention, et encore moins vous écouter.** Avec le risque qu'il ne vous entende pas réellement le jour où il y aura un réel danger...

ÉTABLISSEZ DES RÈGLES SIMPLES

Les enfants ont besoin d'ordre et de règles à respecter pour évoluer dans un cadre rassurant. Une des meilleures façons pour arrêter de s'énerver sans arrêt après eux est d'établir ces règles de façon solennelle... ce qui n'empêche pas l'humour ! Prenez Paul et Virginie à part et **écrivez avec eux les règles en vigueur au quotidien chez vous et avec vous.** Ne formalisez que les règles essentielles (s'il y en a trop, vos petits chéris les oublieront), expliquez- les, assurez-vous qu'elles sont bien comprises et responsabilisez vos enfants, ils en seront tout fiers.

PRÉVOYEZ DES SANCTIONS AU CAS OÙ...

Il est bien sûr impératif d'expliquer aux enfants que dorénavant, puisque tout le monde est d'accord sur les règles à respecter, papa et maman ne s'énerveront plus, ne crieront plus, mais appliqueront des sanctions en cas de non-respect de ces règles. **Il faut donc appliquer ces sanctions ou punitions, bien sûr adaptées à la grosseur de la bêtise et à l'âge du coupable et ce, sans faire d'exception,** au risque sinon de diminuer l'importance des règles établies.

Pendant la période d'opposition

Votre bébé d'amour a entre 18 mois et 3 ans ? Aïe, aïe, aïe, c'est une période qui va mettre vos nerfs à rude épreuve ! Il est bien difficile de comprendre les comportements et les réactions de Paul ou de Virginie à cet âge-là, et cette propension qu'ils ont à dire « non » à tout. Voici quelques conseils pour ne pas mettre votre « zénitude » en pièces.

IL NE FAIT QUE DES BÊTISES !

Mais non, il découvre le monde, et pour ça, il met tout à la bouche, touche à tout, court partout... C'est sa façon d'apprendre à exister et votre équilibre consiste à garder suffisamment de recul et de self-control pour ne pas être constamment sur son dos, mais aussi à poser des limites infranchissables lorsqu'un danger potentiel existe. **Ne vous faites aucune illusion, il faudra lui répéter cent fois les choses,** mais si vous le faites calmement, sans élever la voix, un jour, miracle, vous serez entendu.

IL NE SAIT DIRE QUE « NON » !

Pas de panique, votre bébé d'amour ne vous dit pas « non » tout le temps uniquement pour vous faire sortir de vos gonds ! Mais **il a besoin de vous tester, de voir comment il peut interagir avec ses parents et jusqu'où va son pouvoir sur vous...** ainsi que votre patience ! Ne vous démontez pas, laissez-le vous montrer qu'il existe et que vous n'avez pas tout pouvoir sur lui en l'amenant par le dialogue à faire ce qu'il doit faire.

IL N'ÉCOUTE QUE SON PÈRE/SA MÈRE !

N'ayez crainte, il est en plein complexe d'Œdipe, ou si vous ne croyez pas à la psychanalyse, l'attrait qui le pousse irrésistiblement dans les bras du parent de sexe opposé (entre 3 et 6 ans, en principe). Inutile de monter sur vos grands chevaux, ça ne changera rien. **Acceptez au contraire cette demande de votre petit ange qui lui permet de construire une relation solide avec l'autre sexe, tout en restant intransigeant(e) sur certains points :** « Désolé, mais là, ça n'est pas papa qui décide, c'est moi ! ». Et s'il vous répond : « Je te déteste », ne vous inquiétez pas, ça n'est pas vrai du tout. Sa réaction montre que vous lui inspirez du respect !

Être deux à faire front

Il est certain qu'être deux à plein-temps pour l'éducation d'un enfant, petit ou plus grand, c'est plus reposant... Mais ce n'est malheureusement pas toujours possible. Pour éviter de vous mettre sans arrêt en colère après l'autre parent, mieux vaut vous entendre clairement.

« MAMAN, ELLE, ELLE FAIT PAS COMME ÇA ! »

Il n'y a rien de plus irritant que de comprendre que votre conjoint(e) a, soi-disant, autorisé votre enfant à faire ce que vous lui avez interdit. Mauvais réflexe : se répandre en invective contre lui (ou elle) devant l'enfant ; jeune, il risque de se sentir mal à l'aise si ses parents ne parlent pas d'une même voix ; plus âgé, il risque de profiter éternellement de la situation pour obtenir ce qu'il veut. **Vérifiez d'abord si ce que vous dit votre tête blonde est bien la réalité.** Si vous êtes mis devant le fait accompli (« Tu vois papa me l'a acheté ! »), répondez tranquillement que vous n'êtes a priori pas d'accord, mais qu'il faut que vous en parliez avec l'autre parent qui avait peut-être de bonnes raisons pour agir comme il l'a fait. Ne vous énervez jamais directement contre votre rejeton qui, dans ce cas, peut penser que vous ne maîtrisez plus du tout la situation.

LES ENFANTS D'ABORD

Que vous ayez un mari souvent absent, que vous soyez divorcé d'avec votre femme ou que vous viviez dans une famille recomposée, la seule alternative pour ne pas vous énerver après vos enfants tous les quatre matins est de parler tous les deux d'une même voix, quel que soit votre « temps d'antenne ». Il est impossible pour un enfant de comprendre pourquoi papa dit une chose et maman en dit une autre. **Prenez le temps de vous mettre d'accord sur les grandes questions éducatives.** Faites des compromis si nécessaire, mais arrangez-vous pour être sur la même longueur d'onde. Cette concorde est indispensable pour éviter de passer vos nerfs l'un sur l'autre à la première occasion, ou pire, sur votre progéniture. N'oubliez pas que c'est sur vous que les enfants comptent pour trouver des solutions dans la sérénité !

Les responsabiliser

Rester zen avec un enfant à la maison n'est pas toujours facile, mais avec plusieurs, ça peut paraître impossible ! Si vous avez l'impression que vous êtes au bord de l'implosion parce que vos motifs de crises de nerfs sont multipliés par deux, trois (ou plus), il vous faut revoir les règles de votre fratrie.

UN À LA FOIS !

Vous avez le sentiment que votre petite dernière fait tout pour vous faire tourner en bourrique... Vous voyez peut-être juste ! Lorsqu'il y a plusieurs enfants au sein d'une famille, chacun d'eux doit trouver sa place, non seulement au sein de la fratrie, mais encore les uns par rapport aux autres. Et voilà pourquoi l'essentiel pour la petite dernière est de vous rappeler qu'elle est là et qu'il ne faut pas l'oublier ! **Remède : définir clairement la place, le territoire et « la tribune » de chacun des enfants.** Inutile pour l'aîné de tenter d'accaparer votre attention par tous les moyens lorsque vous vous occupez des devoirs de sa cadette, vous ne céderez pas. En revanche, « son tour » à lui viendra le soir au coucher. À vous, parents, de rassurer pour ne pas hurler sans cesse après l'un ou l'autre : vous n'avez que deux mains et qu'une tête, mais celles-ci seront disponibles à égalité pour chacun de vos enfants. Une fois cette règle admise par votre famille, l'ambiance à la maison devrait être un peu plus calme...

INVERSEZ LES RÔLES

Il y a vraiment des jours où tout va mal. Plutôt que de rester sur les nerfs, et de serrer les mâchoires pour exploser au premier prétexte venu, prenez les devants. **Dites clairement qu'aujourd'hui, vous êtes très fatigué, malade ou contrarié et investissez vos enfants d'un rôle et d'une responsabilité, ils adorent ça.** Pour une fois, c'est à eux d'être là pour vous. Parlez, expliquez, dialoguez, vous désamorcerez les conflits, les caprices, et les reproches potentiels. Si l'un d'eux ne veut pas comprendre, restez ferme : maman ou papa ne veut pas s'énerver aujourd'hui après toi et elle ou il n'est pas bien, si tu ne veux pas l'entendre, tu vas dans ta chambre et tu y restes jusqu'à ce que maman ou papa aille mieux. Ne transigez pas et ne culpabilisez pas : Robocop n'existe pas en dehors du cinéma !

Entretenir le dialogue

Il a le nez collé sur son ordi, elle passe des heures au téléphone ; il prend votre chez vous pour un hôtel, elle lève les yeux au ciel lorsque vous lui faites des remarques sur sa tenue vestimentaire... et tout ça vous énerve... tellement !

LAISSEZ-LUI DE L'AIR

Pour ne pas vous énerver après votre ado, commencez par ne pas l'énerver lui-même par votre comportement :

- **Ne le couvez pas :** avoir sa mère ou son père tout le temps dans sa vie, « c'est trop la honte » ;
- **Ne lui citez pas votre propre adolescence** en « exemple » ;
- **Montrez-lui que vous lui faites confiance... jusqu'à un certain point :** les ados ont besoin de faire leurs propres expériences pour grandir. Si vous le surprotégez, il va se mettre à dissimuler, à mentir, à ne plus vouloir vous parler, et c'est là que vous allez vous

échauffer. Pour éviter les invectives réciproques (que tout le monde regrette la minute d'après) et les claquages de portes, mettez bien l'accent sur ce que vous lui autorisez et sur les limites à ne pas dépasser. Et lorsque des paroles ou des actes vous semblent inacceptables, réagissez cette fois avec sévérité ; ainsi votre ado saura où est la ligne rouge.

PRENEZ-LE AU SÉRIEUX

Il n'y a rien qui crispe plus les ados que d'avoir l'impression d'être traités comme des enfants ! Au lieu de vous énerver sans cesse sur ses copains, son look, la façon dont il passe son temps, etc., écoutez-le, intéressez-vous à son univers, partagez des loisirs ensemble. De cette façon, vous comprendrez mieux quels sont les enjeux, les difficultés et les plaisirs d'un ado d'aujourd'hui.

Vous, parent, êtes un référent pour lui. Si, si ! Même s'il a l'air de vous considérer comme sortant de l'ère du Crétacé ! **Votre ado a besoin que vous le preniez au sérieux et de savoir qu'il a, a priori, votre confiance.** Si vous vous énervez sans cesse après lui, vous ne représenterez plus cette figure tutélaire, ce socle solide sur lequel il peut trouver l'équilibre dont il a besoin.

Bannir toute agressivité

Un ado est très souvent agressif, surtout vis-à-vis de ses parents ! Il a besoin de cette confrontation à laquelle vous n'échapperez pas. Lui renvoyer cette agressivité en vous montrant sous pression ne transmettra pas le bon message.

PRENEZ DU RECUL

Si vous répondez uniquement par l'agressivité, votre ado pensera seulement la chose suivante : «Je ne suis pas compris puisque mes parents ne savent que s'énerver ». **Si vous sentez que vous allez exploser** en constatant, qu'une fois de plus, un ouragan semble avoir dévasté sa chambre, donnez-vous quelques instants de repli et faites un exercice de respiration active avant toute discussion.

RESTEZ ZEN ET TENEZ BON !

Il faut bien l'avouer : il y a des jours où on n'a même plus la force de s'énerver... Mieux vaut le savoir, avec un ado, il ne faut pas capituler le samedi, surtout si c'est pour exploser le dimanche. Pour éviter ce syndrome, voici quelques astuces :

- **Ayez une vie vous aussi !** À deux, à plusieurs, en solo, mais sans votre ado. Votre « exemple » lui montrera ce qu'est une vie d'adulte responsable, celle à laquelle il aspire de toutes ses forces. Mais soyez là s'il vous demande. Cela vous évitera de hurler à votre ado qu'il a profité de votre absence pour faire une ânerie.
- **S'il multiplie les bourdes et se plaît à défier l'autorité parentale**, attention, cela peut vouloir dire « Écoutez-moi ! » Crier ou se mettre en colère ne fera qu'aggraver les choses, alors stop ! Donnez rendez-vous à votre ado à un moment de calme, préparez-vous et entamez une discussion qui ne sera pas un tribunal, mais l'occasion de le faire s'exprimer. Vous passez beaucoup trop de temps à vous énerver après lui/elle pour des soucis domestiques ? **Établissez des règles claires et exigez de votre adolescent qu'il les respecte,** comme vous et les autres adultes, ados, enfants de la maisonnée. S'il veut que son cadre de vie soit « cool », qu'on respecte son intimité, qu'on le laisse libre, c'est le prix à payer.

Rester conciliant

Dans vos proches, il y a forcément une grand-tante, une mamie, une vieille dame ou un papi grincheux. Avec eux, les motifs d'être tourné en bourrique sont nombreux et parfois fréquents. Hélas, comme toujours, s'énerver après un senior est la plus mauvaise des solutions. Heureusement, il y a d'autres façons de communiquer.

SOYEZ LUCIDE

Inutile de hurler après votre papi qui n'a toujours pas appris à se servir du portable que vous lui avez offert ; acceptez la réalité, même si elle ne vous convient pas. **C'est à vous d'être objectif quant à la situation** et à vous adapter à celle-ci, et non l'inverse. Être lucide, c'est reconnaître que les facultés d'adaptation de papi ne sont pas les vôtres, ou qu'il n'a plus l'énergie d'apprivoiser les nouvelles technologies, ou que sa mémoire n'est pas suffisante. Avant de vous fâcher et de vous crisper, essayez de comprendre ce qui bloque chez votre aîné. Peut-être que c'est simplement à vous que vous avez fait plaisir avec ce cadeau et pas à lui !

CHANGEZ D'ATTITUDE

Plutôt que de lever les yeux au ciel à chaque fois que votre grand-tante critique votre vie privée, acceptez de devoir changer votre comportement, vos discussions, vos attitudes vis-à-vis de cette dame âgée. Inutile de la lancer sur un sujet qui va provoquer son animosité, de lui rendre visite avec ce look qu'elle déteste, de lui répéter pour la énième fois ce qu'elle ne veut pas entendre. **Vieillir n'est pas toujours facile à accepter**, ce que votre aînée attend de vous, c'est de la compréhension et de la compassion, peut-être de l'aide, mais certainement pas de la confrontation, des soupirs exaspérés ou de la condescendance. Prenez vos résolutions quant à la « positive attitude » à adopter et maintenez-les. Et si c'est votre grand-tante qui ouvre les hostilités, fuyez le conflit, parlez d'autre chose, ne la suivez pas, si besoin en vous exprimant à haute voix : « Inutile d'aborder ce sujet, on va encore se disputer ». Votre aïeule n'insistera pas.

Ne pas les infantiliser

Ce n'est pas parce que votre (grand) maman ne comprend pas tout de votre vie ou du monde qui l'entoure qu'il faut lui parler comme à votre fils de quatre ans. Si c'est l'alternative que vous avez trouvée pour ne pas vous mettre en colère après elle, changez-la, car c'est elle que vous risquez par conséquent d'agacer fortement !

RESPECTEZ-LES

Si vous considérez votre vielle maman comme un enfant, celle-ci le vivra comme quelque chose de vexant, dévalorisant et comme une blessure d'amour-propre. **Quel que soit le motif qui vous a fait réagir de cette façon,** n'oubliez pas que votre maman (ou cette vieille voisine à qui vous rendez service) a eu une existence plus longue que la vôtre, qu'elle a élevé des enfants, travaillé, connu des bonheurs et des malheurs. Bref, qu'elle mérite votre respect. Alors qu'un enfant débute dans la vie et a besoin d'apprendre, **votre aînée perd au contraire peu à peu ses repères**, ses acquis, ses facultés physiques et psychiques. Soyez sûr qu'elle s'en rend compte, inutile d'en rajouter en la rabaissant ! Vous ajoutez alors une difficulté à une autre.

NE CULPABILISEZ PAS

Surtout avec des très proches, la culpabilité va bon train : « Tu t'en vas déjà, tu ne seras pas resté bien longtemps... » Au lieu de partir au quart de tour et de vous lancer dans une litanie anti-culpabilité, retenez-vous ! Prenez le temps de respirer un bon coup et répondez sur le ton du dialogue normal entre deux personnes adultes : hélas, vous seriez bien resté davantage, mais telle ou telle raison impérieuse vous en empêche. Vous êtes bien obligé de vous partager entre tous ceux qui vous aiment et qui comptent pour vous, et puis il y a le boulot, etc. **Et tenez-vous à votre décision !** Bien sûr, les yeux embués de votre maman à votre départ vous font mal, mais vous avez droit à votre vie aussi et celle-ci n'appartient pas exclusivement à votre maman.

Savoir s'adapter

S'il ne faut pas prendre un vieux monsieur pour un gamin, il faut néanmoins, comme pour les plus jeunes, souvent apprendre à décrypter les messages, conscients ou inconscients, car avec l'âge et/ou la maladie, la capacité à s'exprimer clairement diminue.

PASSEZ PAR L'AFFECTIF

Quels que soient l'âge, l'état physique et psychique de la personne âgée dont vous vous occupez, elle comprendra toujours vos démonstrations d'affection, mieux que n'importe quel discours... **Gestes, paroles, actes, tout ce qui prouve votre gentillesse**, votre bonne volonté et votre attachement sera toujours reçu positivement. Cela vaut même pour une personne qui perd un peu la tête, c'est prouvé.

PRENEZ DE LA DISTANCE

N'oubliez jamais, avant d'élever la voix ou pire, que tout ce qui se joue devant vous, mauvaise humeur, oubli, agressivité, entêtement, reproches et indifférence, n'est pas dû à la volonté de votre grand-papi, mais à son grand âge, c'est-à-dire aux outrages du temps sur son corps et son esprit. Ne répondez pas du tac au tac, ne prenez pas la mouche, car ça n'a pas de sens. **Restez au contraire à distance**, affectivement et émotionnellement, inspirez profondément et calmement, et persuadez-vous que ça n'est pas vous qui êtes visé.

SOYEZ PATIENT

Trouver le ton adapté, les mots qu'il faut et l'attitude appropriée ne se découvre pas en deux jours. C'est normal de tâtonner, de subir des rebuffades et des échecs. Mais petit à petit, en acceptant de changer de point de vue et de vous mettre à la place de votre aîné, de rester calme quoi qu'il arrive, **vous trouverez les clés qui vous permettront de communiquer de façon plus fluide** avec votre aîné en évitant heurts et malheurs.

Faciliter les choses

Votre quotidien vous semble parfois « prise de tête » ? Imaginez ce que ça peut être pour quelqu'un qui est né il y a 70, 80 ans ou plus ! Pour ne pas vous énerver chaque jour sur les mêmes soucis, or-ga-ni-sez-vous !

LISTEZ

Repérez ce qui pose souci entre vous et votre belle-maman âgée au quotidien : elle ne comprend peut-être pas comment marche sa télécommande, pourquoi elle tombe sur une messagerie à chaque fois qu'elle vous appelle ou encore ce que font ses petits-enfants sur Facebook ? **Faites une liste et inscrivez en face la solution à trouver** : lui faire un Post-it, demander à votre fille cadette de lui montrer le fonctionnement de la télé, s'amuser avec elle sur le Net en retrouvant des vieilles chansons, des images d'archive...

RÉSOLVEZ LES PROBLÈMES

Administrations, courses, entretien de la maison, panne, santé, relations avec le voisinage : il n'est pas toujours simple de faire face au quotidien pour une personne âgée. Si vous avez répété déjà dix fois la même chose, mais que belle-maman n'agit pas, n'insistez pas. Prenez les décisions à sa place et agissez, déléguez pour faire faire ou emmenez-la aux rendez-vous nécessaires. Il y aura peut-être du ressentiment au début, de voir qu'on lui « impose » quelque chose, mais ça passera vite. Ou bien, peut-être que belle-maman n'attendait que ça !

TROUVEZ DES ALTERNATIVES

Qu'est-ce qui « passe » le mieux chez votre grand-tante ? Expliquer n'est pas toujours la panacée, surtout si vous vous énervez vite ! Vous pouvez lui montrer comment se servir de son téléphone, puis demander à votre chère tata de refaire pareil ? Ou alors, écrire sur un papier (de façon bien lisible) ce que vous avez déjà répété dix fois à propos de sa carte bancaire ? Faire un croquis ? Acheter un livre qui expliquera les ravages de l'hypertension si on ne suit pas son régime à la lettre ? Demander à un tiers de venir faire marcher la machine à laver devant elle ?

Faire appel à un tiers

Si la perspective de rencontre, de visite, etc., avec cette personne âgée vous pèse trop, si votre face-à-face tourne inévitablement au vinaigre, il faut revoir vos rapports avec elle. Car ce qui est devenu une épreuve pour vos nerfs l'est bien évidemment aussi pour elle.

FAITES INTERVENIR UN TIERS

C'est souvent le tête-à-tête qui crée les conflits et les motifs d'altercation, altercations qui peuvent parfois avoir des conséquences dévastatrices pour la personne âgée comme pour vous. **Ne jugez pas, ne cherchez pas à savoir qui a « tort »** et qui est la soupe au lait du duo, mais essayez d'interposer un tiers entre vous deux. Selon le type de lien que vous avez avec cet aîné, cela peut être un autre membre de la famille, une connaissance, ou un(e) ami(e) du senior. En présence de cet « étranger », **les échanges seront moins électriques**, et les portes plus ouvertes pour des explications ou de simples échanges verbaux dans le calme.

SE FAIRE AIDER PLUTÔT QUE CRAQUER

Si la situation vous échappe vraiment, que vous vous dirigez tête baissée vers un conflit important, faites une pause. Trouvez le prétexte sans en imputer directement la faute à votre aîné : vous devez partir quelques jours pour votre travail, vous avez la grippe et êtes contagieux… Et profitez-en pour « consulter ». Oui, vous, parce que ce n'est pas votre arrière-grand-mère qui va se lancer dans la démarche ! Plusieurs catégories de professionnels ultraqualifiés peuvent vous aider à comprendre ce qu'il se passe (gérontologue, psychologue) et vous indiquer comment agir. N'oubliez pas que **l'agressivité répétitive chez une personne âgée peut masquer un désarroi psychologique sérieux**, comme une dépression, une perte des facultés cognitives (mémoire) ou un mal-être qu'elle-même n'arrive pas forcément à exprimer. Si la communication est rompue avec vous (et sans doute avec d'autres), prendre votre aîné à rebrousse-poil ne fera que l'enfermer davantage dans ses problèmes. Et vous dans les vôtres.

Analyser les problèmes

On ne choisit pas sa famille ni les gens avec qui on passe un tiers de son existence : les collègues de travail ! Les motifs pour s'énerver au boulot sont innombrables, entre celle qui arrive toujours en retard, celui qui ne sait pas parler au téléphone sans hurler, la hiérarchie qui vous accable de travail supplémentaire... Manuel de survie.

RÉFLÉCHISSEZ...

Au travail aussi, lorsqu'on s'énerve, c'est qu'on se sent frustré, victime d'une injustice, et qu'on aspire à dénoncer et à changer les choses. On l'a tous constaté : ce qui nous tape sur les nerfs, ce sont le plus souvent des faits qui se reproduisent avec une régularité... inadmissible ! Pour éviter d'exploser un beau matin, il vous faut :

- **Lister ce qui vous énerve** et en démonter le mécanisme, c'est-à-dire être capable d'expliquer pourquoi ça vous énerve ;

• **Hiérarchiser vos griefs** : la voisine de bureau qui vous pique tout le temps votre agrafeuse (et qui ne vous la rend pas), c'est peut-être moins grave que la désorganisation complète du service commercial ou les ordis qui plantent tous les soirs ;

• **Savoir passer outre ce qui n'est pas bien grave**, sinon ça devient invivable pour tout le monde. Vous vivez en groupe, il faut savoir faire des concessions ;

• **Savoir repérer les moments où vous êtes vous-même énervé** sans autre motif particulier, de façon à ne pas accabler les autres de vos propres travers. Soyez honnête, cela ne vous arrive jamais d'arriver au travail d'une humeur de chien et de partir au quart de tour pour la moindre broutille ?

• **Agissez !** Maintenant, il ne faut pas seulement analyser et critiquer, mais aussi proposer du concret, c'est-à-dire des solutions.

Quels que soient votre job et votre position hiérarchique, si vos propositions sont de bons sens et visent à un meilleur fonctionnement général, elles seront prises au sérieux.

S'organiser

Un des grands motifs d'énervement (après la répétition), c'est la désorganisation. Au bureau, comme ailleurs dans la vie, on ne contrôle pas forcément tout, mais maîtrisons ce qu'on peut contrôler.

PROJECTION ET PLANIFICATION

Le matin, vous avez certainement la possibilité de projeter le déroulé de votre journée et de planifier les choses à faire, alors faites-le. **Savoir où vous allez va vous rassurer et permettra d'ajuster votre programme,** éventuellement, au fur et à mesure que les heures passent, pour éviter de vous dire le soir « Au secours, je ne vais pas y arriver ! »

SOYEZ RÉALISTE

Si vous êtes assez libre de votre organisation, ne chargez pas la mule jusqu'aux oreilles, restez réaliste et **gardez-vous une (petite) marge pour les impondérables :** le client surprise, la panne, le coup de fil « d'en haut ». Si vous avez plus de temps que prévu, vous improviserez, on vous fait confiance !

NON À LA JOURNÉE CONTINUE !

Pour être efficace mais pas « sur les nerfs », il faut s'arrêter régulièrement. **Il faut que votre corps et votre mental comprennent que vous êtes en pause et qu'ils ont enfin le droit de souffler.** Quelques minutes peuvent suffire, le temps de vous déconnecter de ce que vous faites, de boire, de manger, papoter, vous étirer, mais tenez-vous à ces trois ou quatre pauses de la journée et ne restez jamais le nez dans le guidon du soir au matin, même si le sort du monde dépend de votre réussite du jour.

FAITES LA SIESTE

Oui, même au boulot. La microsieste a le vent en poupe et de plus en plus d'entreprises l'adoptent parce que leurs employés n'en sont que plus souriants et efficaces. **Pour y arriver sur commande, il faut un peu d'entraînement,** et disons-le, pour les premiers essais, un environnement propice est bien plus probant. Le meilleur moment de la journée reste le début de l'après-midi, l'heure de la sieste (ça tombe bien !) : on ferme les yeux, on se concentre sur le souffle, on laisse toutes les tensions s'évacuer dans le tapis et on se laisse gagner par le sommeil.

Savoir lever le pied

Il faut bien le reconnaître, on se met parfois tout seul dans le pétrin et lorsqu'on « crise », c'est bien parce qu'on l'a un peu cherché. Pour anticiper et désamorcer les crises de nerfs au bureau, il faut déjà faire preuve de réalisme.

« JE NE SAIS PAS DIRE NON »

Et ça se sait, alors tout le monde en profite. Un petit service par-ci, une petite surcharge de travail par-là, votre boss et vos collègues ne se privent pas. Et lorsque vous vous retrouvez avec quatre heures de travail devant vous, alors que vous partez dans deux, ça vous met dans tous vos états ! Mais à qui la faute ? Il faut savoir dire : « non », c'est une des règles du manuel de survie en entreprise ! **Mettez-y les formes, restez aimable, souriant et surtout expliquez** : désolé, mais Untel est déjà passé par là et vous avez ce dossier à boucler avant la réunion de tout à l'heure. Une autre fois avec plaisir. Ne culpabilisez pas, ne vous dévalorisez pas, vous n'avez que deux mains, c'est tout.

« JE NE SAIS PAS M'ARRÊTER »

Vous êtes tellement sous pression au boulot que vous êtes du genre à zapper le déjeuner au profit d'un vilain sandwich déchiqueté à la hâte au-dessus de votre ordinateur. D'ailleurs, lorsque tout le monde quitte le navire le soir, vous avez encore du boulot… **Pour être plus zen, commencez par faire de vraies pauses dans la journée**. Vingt minutes hors de votre bureau pour déguster un plat n'aggraveront pas votre retard à ce point, et si vous êtes au bord de l'implosion dans la matinée ou l'après-midi, ressortez encore cinq minutes ou dix pour marcher, parler, boire un jus de fruits, respirer un bon coup. Si vous avez l'impression d'être sans cesse le nez dans le guidon, réagissez : soit on vous confie trop de tâches, soit votre organisation est mauvaise. Avant de craquer un mauvais jour, posez-vous, réfléchissez et parlez de vos journées avec qui de droit.

Savoir accepter la critique

Lorsqu'on fait de son mieux ou qu'on aime son travail, il est parfois difficile de rester zen lorsqu'un chef ou même un collègue vient critiquer notre job. Avant de « partir au quart de tour », mieux vaut y réfléchir à deux fois : et si on était un peu trop susceptible ?

« JE NE SUPPORTE PAS LA CRITIQUE »

Entendre un mot de travers de la part de vos collègues ou une critique sur votre travail de la part de votre boss fait exploser votre boîte à fusibles... Vous êtes comme ça, vous n'y pouvez rien. Mais savez-vous ce que vous dirait Freud ? Que la susceptibilité tient à une faible estime de soi... Et pourtant, vous savez que vous êtes un bon élément, alors ? Alors, **vous n'êtes pas parfait et les autres ont le droit de vous formuler des remarques**. Ne vous sentez pas attaqué dans ce cas-là, et ne vous acharnez pas à vous justifier. Plus constructif et moins nocif pour votre système nerveux, entrez dans le dialogue : que vous dit-on, qu'est-ce qui ne va pas, est-ce bien venu, pouvez-vous y remédier ?

« JE PENSE QUE J'AI DÉÇU »

Ou alors, la critique vous démolit, ce qui revient au même en fin de compte, car vos ruminations internes vont finir par exploser à la surface un jour ou l'autre après avoir entamé votre « zénitude » personnelle. **Ce n'est pas parce que votre chef s'est montré critique cette fois qu'il pense que vous êtes nul**, indigne de la confiance qu'il a placée en vous et que l'ensemble de votre personne est remis en cause. Ne vous énervez pas après ce boss en l'affublant intérieurement de noms d'oiseaux très antipathiques. Il ne vous en veut pas, il ne cherche pas à vous déstabiliser, à vous mettre la pression. Simplement, cette fois, il attendait mieux ou différent, ou vous ne vous êtes pas compris. N'explosez pas et ne ruminez pas dans votre coin : demandez des précisions, ne le prenez pas comme une remise en cause personnelle et rectifiez le tir.

Relativiser

À votre bureau, vous avez l'impression que l'environnement vous en veut personnellement. C'est votre téléphone qui crachouille, vos logiciels qui plantent un jour sur deux, ou l'imprimante qui n'a jamais de papier quand vous en avez besoin !

C'EST ENCORE EN PANNE…

C'est sûr, c'est franchement crispant, mais cela ne vous a pas échappé que ce n'est pas en hurlant après les rames de papier que les choses s'arrangent. Là encore, **soufflez un bon coup et relativisez** : est-ce que vous êtes dans un mauvais jour ou les pannes et manques en tous genres sont-ils vraiment chroniques au sein de votre service ? Le matériel sophistiqué sur lequel nous travaillons tous a forcément ses faiblesses ; en revanche, si vous avez l'impression que les soucis de matériel ou d'intendance entravent véritablement votre travail, il ne faut pas vous énerver, mais agir en protestant : note, courrier, demande de rendez-vous... Si vous êtes chaque jour au bord de la crise de nerfs en constatant que votre connexion au Web ne répond toujours pas, il est probable que beaucoup de vos collègues aient le même souci... Regroupez-vous pour débloquer la situation !

LES MANIES DES AUTRES...

... sont toujours insupportables. Et pourtant, sur un lieu de travail, on est forcé de cohabiter huit heures durant et donc de « faire avec ». Là encore, **faites la part des choses entre les petites habitudes pas trop méchantes et les coutumes franchement insupportables pour vous.** Si c'est le cas, exprimez-vous nettement, sans agresser : plutôt que de monter sur vos grands chevaux à chaque fois qu'untel se lance dans le récit détaillé de sa dernière soirée torride, dites-lui franchement que cette familiarité vous gêne. En résumé, lorsque sur votre lieu de travail quelqu'un attente à votre bien-être, physique ou intellectuel (auquel vous avez droit vous aussi), dites-le-lui.

Accepter les différences des autres

Vous avez l'expérience, l'âge, la maîtrise et vous êtes à un poste de décisions... Tant mieux pour vous, mais ce n'est pas une raison pour vous énerver après tous ceux qui n'ont pas votre savoir-faire et vos responsabilités !

ILS NE VONT PAS ASSEZ VITE

Vous êtes du genre à comprendre au quart de tour et à exécuter aussi rapidement ce qu'on vous confie et les « lents » ou ceux que vous considérez comme tels vous énervent à un point ! Il vous faut comprendre que les stresser en pointant du doigt leur supposée lenteur d'exécution ne va aider personne. C'est à vous, le manager ou le responsable, de résoudre le dilemme : **cherchez plutôt du côté de la formation, de la motivation, de la planification des tâches.** Ou bien n'est-ce pas vous qui êtes constamment en surchauffe? Y a-t-il un réel intérêt à aller plus vite?

ILS NE VEULENT PAS APPRENDRE

Les jeunes croient tout savoir et les plus âgés refusent de s'intéresser à ce qui est nouveau, c'est ce que vous pensez en regardant votre équipe. **Calmez-vous et prenez le temps de poser les questions à plat** sans vous en prendre aux principaux intéressés. Les plus jeunes, sous des dehors de forfanterie, sont bien souvent très intimidés par le monde de l'entreprise et leur hiérarchie, d'autant que la pression est forte dans un contexte de chômage important. Montrer qu'ils ont « le savoir » est une façon pour eux de se rassurer. Laissez-les faire sans vous en irriter. Idem pour les « seniors » : soyez persuadé qu'ils ne demandent qu'à vivre avec leur temps, mais ils ne sont pas nés avec la technologie d'aujourd'hui. Ne les brusquez pas, ne les dévalorisez pas, ne les sous-estimez pas, soyez patient et persévérant car, comme les plus jeunes, si les plus âgés comprennent qu'ils ne sont pas pris de haut et que leur management est compréhensif, ils feront une mise à jour de leur disque dur personnel qui vous étonnera...

Les cinq piliers de la « zénitude »

Parce que vous avez décidé que vous énerver pour un rien vous pourrissait la vie, vous allez adopter au quotidien quelques grands principes qui sont les piliers de toute « zénitude attitude ». Une fois ce socle assimilé et ces méthodes devenues familières, vous vous sentirez déjà bien mieux. Ensuite, si besoin, vous pourrez ajouter des actions plus ciblées. **Les 5 piliers sont les suivants :**

- **Apprendre à repérer ses émotions** envahissantes et savoir les désamorcer ;
- **Se servir de son souffle** (respiration) pour éviter d'exploser à tout propos ;
- **Pratiquer régulièrement un sport** qui vous calme et vous fait du bien ;
- **Choisir et adopter la visualisation** et/ou la méditation ;
- **Mener un mode de vie le moins déraisonnable possible** si vous êtes déjà un sac de nerfs.

Une cure de magnésium

Le magnésium est absolument indispensable au bon fonctionnement de notre corps. Une carence peut être à l'origine d'une irritabilité, d'une anxiété ou d'une plus grande sensibilité au stress...

Pourquoi ? Parce qu'il favorise, entre autres, la conversion du tryptophane en sérotonine, qui est à la fois une hormone et un neuromédiateur du système nerveux central. Un déficit en sérotonine induit des troubles du sommeil, une hyperexcitabilité, des troubles musculaires (crampes), du stress, de l'anxiété... **En cas de soupçon de carence**, il faut donc soit s'alimenter autrement, soit utiliser des compléments alimentaires. Pour être au mieux, il nous faut ingérer au minimum 300 mg de magnésium par jour, qu'on trouve principalement dans le chocolat, le germe de blé, les fruits secs, les bananes et les légumes secs.

Les plantes et les huiles essentielles

Si vous pensez qu'une réelle aide médicamenteuse vous est nécessaire, mais que vous ne voulez pas entrer dans la danse des « calmants », il vous reste les remèdes de grand-mère qui se montrent bien souvent suffisants.

LES PLANTES DU CALME

Soyons clairs, la tisane de tilleul ne vous fera pas grand-chose si vous vous sentez vraiment les nerfs à vif, mais des gélules (ou ampoules), suffisamment dosées en plantes bien connues pour leurs vertus sédatives peuvent vous aider. À défaut de pouvoir consulter un phytothérapeute, voici quelques grandes dames de la « zénitude » : **l'avoine** (sommités fleuries), qui passe pour être capable de reconstituer et de préserver la myéline, la substance qui recouvre et protège les nerfs ; **la mélisse**, qui calme l'activité cérébrale et pour cette raison aide à trouver un bon sommeil ; **l'inusable et indémo-**

dable camomille, dont on n'ignore plus rien des vertus sédatives, qualités également reconnues à **la passiflore** et à **l'aubépine**. Il existe en pharmacies et parapharmacies des cocktails et des mélanges de ce type de plantes qui sont encore plus efficaces, car leur addition renforce leurs propriétés respectives.

LES HUILES ESSENTIELLES

Beaucoup sont à base de plantes également. L'avantage des huiles essentielles est qu'elles sont fortement concentrées et donc plus efficaces et ce, plus rapidement. L'inconvénient, c'est que leur goût très marqué peut rebuter. Sur le podium : **l'huile essentielle de mandarine**, pour les natures irritables, qui partent au quart de tour (idéale aussi pour trouver un sommeil réparateur) ; **l'huile essentielle de bergamote** est le nec plus ultra pour les agités, les pressés, ceux qui veulent que tout soit fini avant d'avoir commencé ; **celle de basilic** est une vraie merveille pour apaiser une vraie crise de nerf.

Prendre soin de soi

On est tellement obnubilé par notre esprit qu'on oublie parfois qu'on a aussi un corps qui a ses raisons d'être (lui aussi) tendu et hérissé. N'en doutons pas, un corps mal dans sa peau ne donnera pas un esprit détendu !

FAITES-VOUS « MODELER »

Les massages plaisir, ceux qui ne sont pas à visée thérapeutiques (quoique…) mais de bien-être sont appelés « modelages ». On n'a pas trouvé grand-chose de mieux pour détendre un corps aux multiples tensions musculaires et nœuds divers et variés. Et, bonne nouvelle, **lorsque toutes les tensions du corps sont tombées, l'esprit suit !** Les championnes incontestées de la discipline sont les civilisations asiatiques qui ont fait du massage un outil thérapeutique au même titre que les remèdes. Au menu, massage indien (ayurvédique) aux huiles chaudes, massage thaï, « tui na » chinois, et quelques autres, reprennent peu ou prou les mêmes techniques et les mêmes pratiques. Pour qu'il soit efficace, ce « soin » doit durer une heure et prendre en compte toutes les parties du corps, des orteils jusqu'au massage du cuir chevelu ! L'opération a un coût, entre 40 et 70 € en moyenne, mais le bien-être procuré est évident.

PENSEZ À L'EAU

Si vous avez simplement besoin de décompresser à un moment ou à un autre, **n'oubliez pas les vertus calmantes de l'eau et de la balnéothérapie**. Quelques longueurs de piscine, un petit passage dans un jacuzzi ou au hammam, font parfois tomber d'un coup toute tension nerveuse. Nul besoin d'avoir ses entrées dans un spa coûteux, beaucoup de piscines ou de clubs de sports proposent ces suppléments bien-être. Bien sûr, si vous êtes non loin de la mer ou d'une station thermale, un soin de ce type vous procurera la même détente. À essayer, d'autant qu'on ne peut pas trouver plus naturel !

Trouver son équilibre

À force de mettre toutes ces règles d'or en pratique, vous êtes capable de vous dominer et de faire face à toutes les circonstances sans (trop) vous énerver. Maintenant que vous êtes ravi de cette réussite, une mise en garde : n'en faites pas trop !

VOS ÉMOTIONS SONT TOUJOURS LÀ

Même maîtrisées, canalisées et domptées, nos émotions sont là car, comme on l'a vu, nos émotions arrivent avant nos pensées. Pour éviter d'être sur les nerfs à tout bout de champ, l'émotif, voire l'hyperémotif, doit donc apprendre à exercer une sorte de « contrôle continu » sur ses émotions. Mais attention, contrôler ne veut pas dire tout refouler et ne jamais rien exprimer. **Passer sa vie à contenir ses émotions, surtout des émotions négatives, est impensable et même dommageable.** Le but est de trouver un équilibre entre la pile électrique et la pierre qui dort au fond d'un puits. Comment ?

EXPRIMEZ-VOUS !

Il n'y a rien de plus libérateur et salvateur que d'échanger avec d'autres sur ses émotions négatives, ses coups de nerfs, ses crises de larmes, ses remords après coup. Qui n'a pas une maman, une meilleure amie, ou un tonton à qui se raconter ? **Se raconter s'apprend si vous ne voulez pas envahir les autres avec vos émotions négatives :** prévenez l'interlocuteur que vous voudriez lui parler d'un sujet sensible et préparez un résumé par écrit de ce que vous voulez dire. Cela vous évitera de vous perdre dans les détails et d'oublier ce qui est le plus important ! **Enfin, si par goût ou nécessité, vous ne trouvez personne pour vous épancher, mais que vous souffrez d'un trop-plein d'émotions contenues,** parlez-en avec un professionnel de l'écoute, comme un psychologue ou un thérapeute ciblé. Pour ne pas vous « abonner » chez ce professionnel, ou si vous hésitez quant au bien-fondé de la démarche, testez un service de psychologues au téléphone ou via Internet, par exemple. **Et tâchez de ne pas oublier, vivre calme, c'est vivre libre !**

PAPIER À BASE DE
FIBRES CERTIFIÉES

LAROUSSE s'engage pour
l'environnement en réduisant
l'empreinte carbone de ses livres.
Celle de cet exemplaire est de :
200 g éq. CO_2
Rendez-vous sur
www.larousse-durable.fr

Les Éditions Larousse utilisent des papiers composés de fibres naturelles,
renouvelables, recyclables et fabriquées à partir de bois issus de forêts
qui adoptent un système d'aménagement durable. En outre, les Éditions Larousse
attendent de leurs fournisseurs de papier qu'ils s'inscrivent
dans une démarche de certification environnementale reconnue.

Photogravure : Irilys

Imprimé en Espagne par Unigraf S.L.
Dépôt légal : avril 2014
313800/05 - 11034215 - septembre 2016

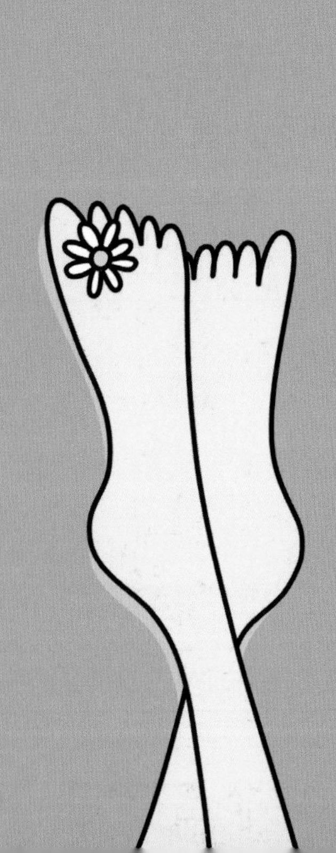